ELIGE TU PROPIA AVENTURA

LA CASA EMBRUJADA

R. A. MONTGOMERY

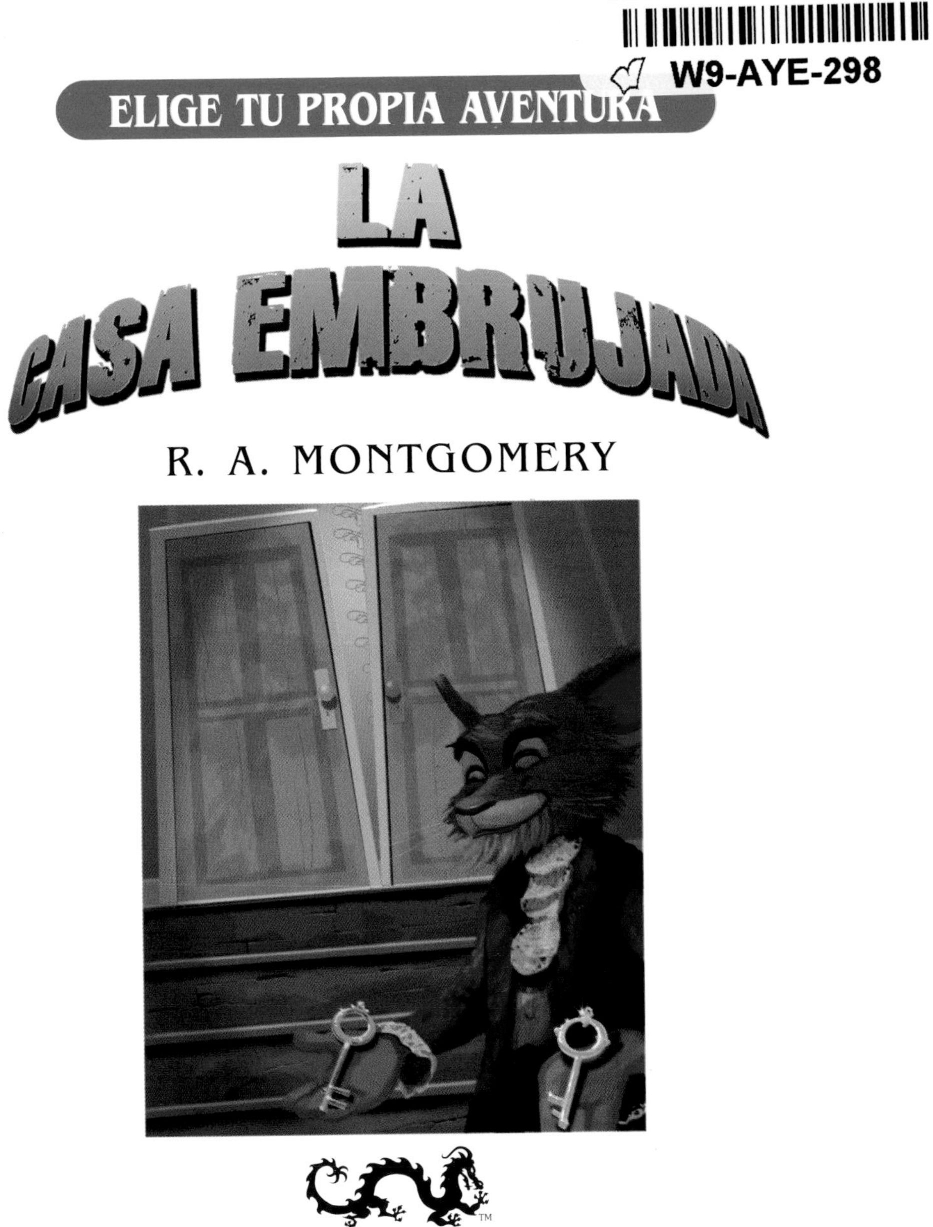

CHOOSECO

ATLANTIDA

Traducción: Juan Nadalini

Ilustrado por: Keith Newton
Diseño: Stacey Hood, Big Eyedea Visual Design

Para obtener información acerca de permisos, por favor escribir a:

P.O. Box 46
Waitsfield, Vermont 05673
www.cyoa.com

Montgomery, R. A.
La casa embrujada / R. A. Montgomery; ilustrado por Keith Newton. - 5a ed.
Ciudad Autónoma de Buenos Aires: Atlántida, 2018.
64 p.: il.; 16,5 x 19,5 cm. - (Elige tu propia aventura)

ISBN 978-950-08-3708-8

1. Literatura Infantil y Juvenil Estadounidense. I. Newton, Keith, ilus. II. Título.
CDD 823

TÍTULO ORIGINAL: THE HAUNTED HOUSE.

Quinta edición publicada por Editorial Atlántida S.A.,
Azopardo 579, Buenos Aires, Argentina.
Hecho el depósito que marca la Ley 11.723.
Libro de edición argentina.
Impreso en Argentina. Printed in Argentina.
Esta edición se terminó de imprimir en el mes de abril de 2018
en los talleres de Nexo Gráfico, Buenos Aires, Argentina.

ISBN: 978-950-08-3708-8

Para Shanny, Becca, Avery y Lila.

¡¡LEE ESTO PRIMERO!!

¡ATENCIÓN!
ESTE LIBRO ES DIFERENTE
de cualquiera que hayas leído.

¿No me crees?
¿Alguna vez leíste un libro
en el que el protagonista fueras TÚ?

¡En este libro, lo eres!

Eres TÚ quien elige cómo seguirá la historia,
e incluso cómo terminará.

NO LEAS ESTE LIBRO DESDE LA PRIMERA PÁGINA
HASTA LA ÚLTIMA.

Lee hasta que se te presente una opción.
Elige entonces la alternativa que más te guste
y pasa a la página indicada.
Si no te agrada el final al que llegas, ¡simplemente
empieza de nuevo!

Un día, luego de la escuela, tú y tu perro Homero caminan de regreso a casa, para ir a almorzar. Como le encanta jugar, levantas una ramita de la vereda y la arrojas lo más lejos que puedes. Él sale corriendo tras ella.

De pronto se cruza un gato blanco y ¡zum! Homero empieza a perseguirlo. Lo corre hasta el jardín de una enorme casa gris. Cuando llegas a la entrada, te detienes súbitamente.

¡Guau! Parece que hiciera años que nadie vive allí. El césped está larguísimo. La puerta de calle, entreabierta. La mayoría de las ventanas están rotas, y en el techo faltan muchas tejas. Esta vieja casa definitivamente da miedo. ¡Quizás esté embrujada!

No ves a Homero por ninguna parte. Lo llamas.

–¡Homero! ¡Ey, Homero! Ven aquí, amigo.

No hay respuesta.

Pasa a la página 2.

Tienes que encontrar a Homero. Es tu amigo. Ingresas en el jardín del frente a través de una reja vieja y oxidada. Andas en puntas de pie y llegas a la parte de atrás de la casa. Ves un banco de piedra y un estanque vacío. Pero no hay señales de tu perro.

Te sientas en el banco, para pensar un segundo. Aunque hace bastante calor, el banco de piedra te hace sentir algo de frío. De repente sientes una ráfaga de viento helado. ¡Te estás congelando! ¡Escuchas una voz que proviene de la casa!

–¡Homero está en la casa!

La voz es grave y fuerte, y muy pero muy atemorizante. Deseas encontrarlo, pero la voz es tan terrorífica que no quieres ni acercarte a la casa. ¿Qué debes hacer?

Si entras en la casa, pasa a la página 9.

Si sales corriendo, pasa a la página 5.

¡Qué atemorizante resulta bajar al sótano!

Un murciélago pasa volando, rasante. Varias ratas corren por ahí. ¡Y hasta hay un río que atraviesa el sótano! Atado a un aro de metal, en la pared, se encuentra un bote azul.

Si subes al bote, pasa a la página 18.

Si caminas por el costado, pasa a la página 29.

Corres más rápido que nunca. De pronto te caes por unas escaleras.

Pierdes el conocimiento. Ves las estrellas. Cuando despiertas, ¡te encuentras dentro de la casa! Está oscuro y lleno de polvo. ¡Te sientes aterrorizado!

Si gritas pidiendo ayuda, pasa a la página 11.

Si te quedas en silencio y esperas, pasa a la página 13.

Sigues al misterioso unicornio hasta el exterior. ¡Puedes dar saltos de casi un kilómetro de alto! ¡Incluso puedes volar! ¡Te estás divirtiendo tanto que casi te olvidas de Homero!

Si continúas con el unicornio, pasa a la página 16.

Si quieres encontrar a Homero, pasa a la página 17.

El cocodrilo repta hacia ti y vuelve a cerrar sus mandíbulas. Te agarra por la camisa. La tela se rompe. Ahora te toma por las zapatillas. Te arrastra dentro del agua. ¡Agghh!

Sin embargo resulta bastante divertido... los dientes del cocodrilo no son filosos. Parecen de goma. Y el agua está tibia. Estás muy a gusto ahí adentro.

Pasa a la página 49.

"Después de todo –te dices–, se trata tan solo de una casa vacía".

Decides entrar por una puerta tapada con listones de madera.

Quitas un listón y abres la puerta de un empujón. ¡Crac! Adentro está muy húmedo. Huele a zapato viejo. Entras en la oscuridad en puntas de pie. Contienes la respiración para no hacer ningún ruido. De la nada, aparece un unicornio.

Te mira, y vuelve a desaparecer en la oscuridad.

Si tratas de seguir al unicornio, pasa a la página 6.

Si no sabes muy bien qué hacer, pasa a la página 10.

¡Qué miedo! Quizás debas regresar a casa. Pero no puedes dejar ahí a Homero. Es tu amigo. Es un gran perro. Quizás el unicornio también sea amistoso. Quizás hasta sepa dónde está Homero.

¡Pum! Una puerta se cierra de golpe en la parte de atrás de la casa. Sientes telas de araña sobre tu cara. Y otra vez la misma voz:

–Baja al sótano.

Si le haces caso a la voz, pasa a la página 4.

Si decides quedarte donde estás, pasa a la página 12.

Puedes escuchar el *bum bum* de tu propio corazón. Estás tan solo y asustado que gritas pidiendo ayuda. Un murciélago pasa volando. ¡Es tan grande como tú! Y habla:

–Yo te puedo ayudar. Ven, sube a mi espalda.

Podría ser bueno tener al murciélago como amigo.

Si vuelas con el murciélago, pasa a la página 20.

Si te escondes, pasa a la página 22.

12

Te quedas donde estás. Una puerta secreta se abre de golpe. Subes por una desvencijada escalerita hasta llegar a un cuarto muy iluminado. La habitación está llena de espejos, que te hacen ver o muy muy alto, o muy muy gordo, o muy muy flaquito.

Pasa a la página 36.

El tiempo parece estar detenido. La oscuridad se vuelve más oscura. Estás demasiado aterrorizado hasta para respirar. Quieres irte a tu casa.

Entonces sucede. Algo peludo te toca la mano.

¡Ajj! ¡Qué asco! ¿Puede ser Homero?

Si intentas saber de qué se trata, pasa a la página 33.

Si no quieres saberlo, pasa a la página 24.

–De acuerdo, señor Ratón, lo sigo.

Te sonríe. Y hace una mueca muy simpática con la nariz, como un conejo. Corren una cortina azul y bajan unas escaleras. El ratón te muestra dos llaves. Una es dorada; la otra, plateada.

Frente a ti hay dos puertas. Están hechas de madera y cerradas con enormes candados. Uno de los candados es plateado, y el otro es dorado.

El ratón sostiene ambas llaves y dice:

–Adelante. Elige una.

Si tomas la llave dorada, pasa a la página 53.

Si tomas la llave plateada, pasa a la página 38.

Sigues al unicornio, cada vez más alto. De pronto se detiene en una nube. El sol brilla detrás de él. Te sonríe. Y luego sube caminando por un rayo solar.

Lo sigues. Cuando miras hacia abajo, la casa es apenas un puntito gris y distante.

Quizás sea hora de regresar.

Si te das vuelta y abandonas al unicornio, pasa a la página 55.

Si quieres ver hasta dónde conduce el rayo solar, pasa a la página 27.

¡Pum! Chocas contra una pared y caes al suelo. Tu viaje con el unicornio terminó rápido. Te encuentras otra vez en la casa embrujada.

Escuchas un ruido. Estás asustado. Se abre una puerta. Un niño de tu misma edad sale de la habitación. ¡Es tu mejor amigo Anson! En una mano tiene un guante de béisbol, y en la otra un *frisbee*. Le cuentas todo lo que ha pasado. Anson sonríe y dice:

–Las casas embrujadas sí que son divertidas. Conozco varios lugares geniales en esta casa. ¡Hay pasadizos secretos y cuartos ocultos! Exploremos juntos.

Si vas con Anson, pasa a la página 51.

Si quieres seguir buscando a Homero, pasa a la página 28.

Los botes son divertidos. En cuanto te subes al bote azul, los remos se levantan solos, como si estuvieran vivos. ¡Y se empiezan a mover! El bote avanza, y te lleva hasta la otra orilla del río.

Una luz parpadea, y luego una voz dice:

–Vete de aquí o bien sigue hasta la próxima parada. Ten listo el dinero exacto, por favor.

Si te vas, pasa a la página 32.

Si te quedas en el bote, pasa a la página 35.

19

Has cometido un grave error. El caramelo te transforma en una tortuga peluda.

Fin

El murciélago despliega sus alas. Hay un destello en sus ojos. Te subes a su espalda, y juntos salen volando por una ventana hacia el exterior de la casa. Aterrizan en un jardín. El suelo está cubierto de enormes frutas. Las manzanas son rojas y amarillas, y grandes como autos. ¡Las peras parecen camiones!

Te relajas y muerdes un gran pedazo de una de las peras gigantes. Te empapas con el jugo de la fruta. ¡Ajj! Es pegajoso. Te sientas al sol, para secarte un poco, y luego decides seguir explorando el lugar.

Pasa a la página 43.

Decides que prefieres no seguir viaje con el murciélago.

Te escondes entonces en un cuarto oscuro, debajo de una pila de viejas frazadas. Hace calor. Estás bastante cómodo. Muy pronto te quedas dormido.

Cuando te despiertas, oyes un ruido. Parece un trueno. El ruido es cada vez más fuerte. Ves una luz debajo de la puerta de la habitación. Abres la puerta.

Pasa a la página 45.

¡Bien por ti! No conocías a la tortuga. No tienes forma de saber qué había en esos caramelos. La tortuga se come uno y se transforma en una piedra.

Pasas por arriba de la roca y encuentras una puerta secreta en la pared. La puerta conduce hasta el jardín lateral de la casa, cerca de los árboles grandes. El sol brilla en lo alto. Estás a salvo. ¡Te das vuelta y ahí está tu perro! El misterio de Homero en la casa embrujada ha terminado.

Fin

¡Sin duda no quieres saber qué es esa cosa peluda! Corres escaleras arriba y entras en una pequeña habitación. El sol se cuela por una ventana rota. Ves dos niños. Te sonríen. Uno dice:

–¡Hola! ¿De dónde vienes?

Le cuentas que vienes de la planta baja.

Pasa a la página 46.

Subes por el rayo de sol. Los escalones están hechos de oro, y tienen el tamaño justo para tus pies.

El aire es tibio, y huele muy bien. Escuchas música. Es una melodía conocida, pero no logras identificarla. El rayo de sol

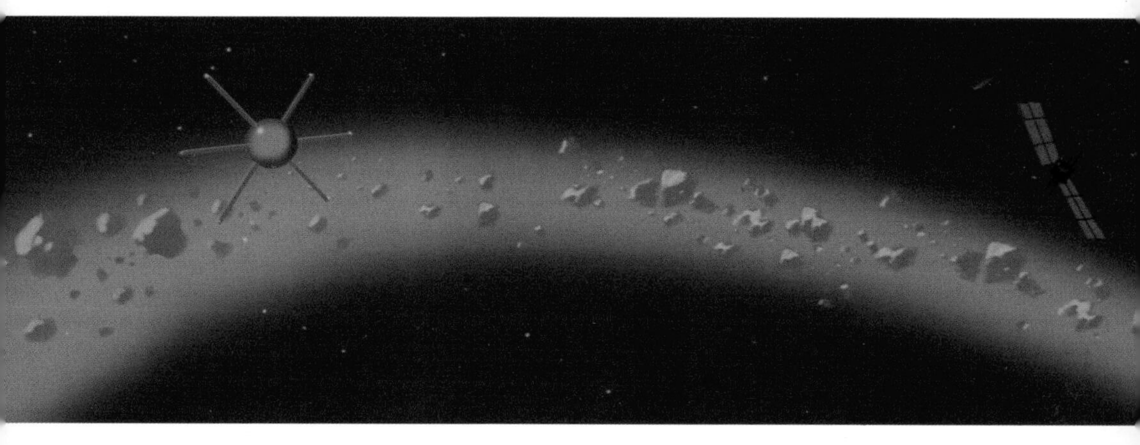

te resulta tan agradable que querrías seguir caminando para siempre.

¡Un momento! ¿No será hora de regresar? Después de todo, ¿qué hay de Homero, y de casa, y de la escuela, y tus amigos?

Si regresas, pasa a la página 48.

Si sigues avanzando, pasa a la página 52.

–Me encantaría ir contigo, pero tengo que encontrar a mi perro –le dices a Anson.

–Creo que sé dónde está Homero.

Anson te lleva hasta una puerta en el segundo piso. Un enorme letrero dice:

ENTRADA
25 CENTAVOS

Anson paga por los dos. ¡Guau! Están dando una película sobre Súper-man. El lugar está lleno de gente. Homero está sentado en la primera fila. Junto a él hay dos asientos vacíos. ¡Los reservó para ti y para Anson! Incluso les compró palomitas de maíz.

Se acomodan en las butacas y disfrutan de la película. ¡Qué gran día!

Fin

Decides que todo va ser mucho más seguro en tierra firme, así que ignoras el bote. Al menos puedes caminar por donde gustes.

Vas hasta la orilla del río. Está llena de barro. Dos ojos rojos te observan desde el agua.

¡Snap!

Es un cocodrilo. Saltas hacia atrás y chocas contra la pared rocosa del túnel. Estás a salvo, lo suficientemente lejos del cocodrilo.

Pasa a la página 7.

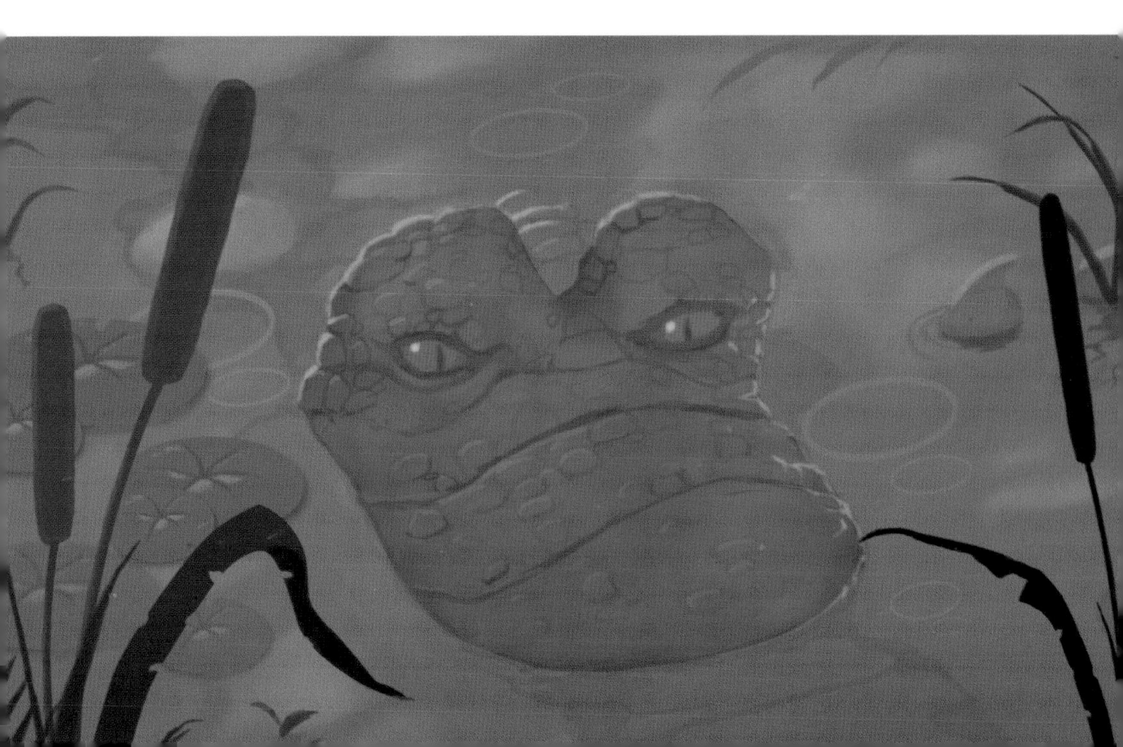

El ratón parece amigable, pero no te dejas engañar.

Es mejor que busques a Homero por tu cuenta. La escalera es empinada y se hace muy difícil subir. Mientras trepas, puedes oír el sonido del viento que se cuela por la puerta secreta, te envuelve y te lleva hacia arriba.

Das vueltas en una nube blanca, blanda, acolchada y muy cómoda. Muy pronto el viento cesa, y todo queda en calma. Flotas por sobre la Tierra en tu cama de nubes.

Pasa a la página siguiente.

De pronto estás empapado. ¡Está lloviendo! La nube se hace cada vez más pequeña, y caes. Montado en la lluvia regresas a la casa embrujada.

¡Qué viajecito! Deseas poder recordar todo lo que te ha pasado. No puedes esperar para volver a casa.

Homero viene corriendo y te pasa la lengua por la cara. ¡Ajj! ¡Qué asco los besos perrunos!

Fin

Sales del bote y caminas por la orilla del río. Encuentras un jardín lleno de flores. ¡Guau! En el medio del jardín hay un autobús rarísimo. Parece más una salchicha con ruedas. Y no tiene conductor. Pero decides subir de todos modos.

El autobús te saca del jardín y te lleva hasta una enorme autopista. En un abrir y cerrar de ojos apareces en tu propia casa. Homero está tan contento de verte que al saludarte casi te tira al suelo.

Fin

Tienes una pequeña linterna en el bolsillo. ¡Clic! La enciendes. ¡Guau! Es una tortuga peluda. Y con una expresión un poco tonta. Te ofrece una caja de caramelos.

–Adelante. Come uno. No te hará daño.

(¡¡Peligro!! ¡¡Peligro!!).

Si comes un caramelo, pasa a la página 19.

Si no comes un caramelo, pasa a la página 23.

Le das 50 centavos al conductor del bote.

El bote tiene alas. De hecho puedes volar. Te elevas por los aires y avanzas a gran velocidad. Llegas hasta tu casa. Tu madre está en el jardín de atrás y te saluda con la mano. Aterrizas con el bote sobre el césped.

–¡Bienvenido a casa! –te dice mientras te abraza.

El bote se aleja aleteando.

Fin

En uno de los extremos de la habitación se ve un túnel. Al comienzo del túnel hay un ratón gordo y marrón.

–¡Sígueme! –te dice.

Si sigues al ratón por el túnel, pasa a la página 14.

*Si lo ignoras y te vas solo por el túnel,
pasa a la página 54.*

Si regresas escaleras arriba, pasa a la página 30.

¡Tienes suerte! La puerta roja conduce a un circo. Toda tu familia está ahí. La están pasando de maravillas. Te unes a un grupo de payasos. Participan de un acto en el que deben apretujarse dentro de un autito diminuto. Nadie puede creer lo que ve: toda tu familia y diez payasos metidos en un minúsculo auto rojo.

Fin

La llave plateada es mágica. Con solo tenerla en tus manos, eres capaz de volar hasta la cima de la montaña más alta del mundo. ¡Puedes ver a miles de kilómetros de distancia! Finalmente regresas a la Tierra, y a tu casa. Homero está en el jardín delantero. Mueve la cola, salta y te da un beso gigante y baboso.

Fin

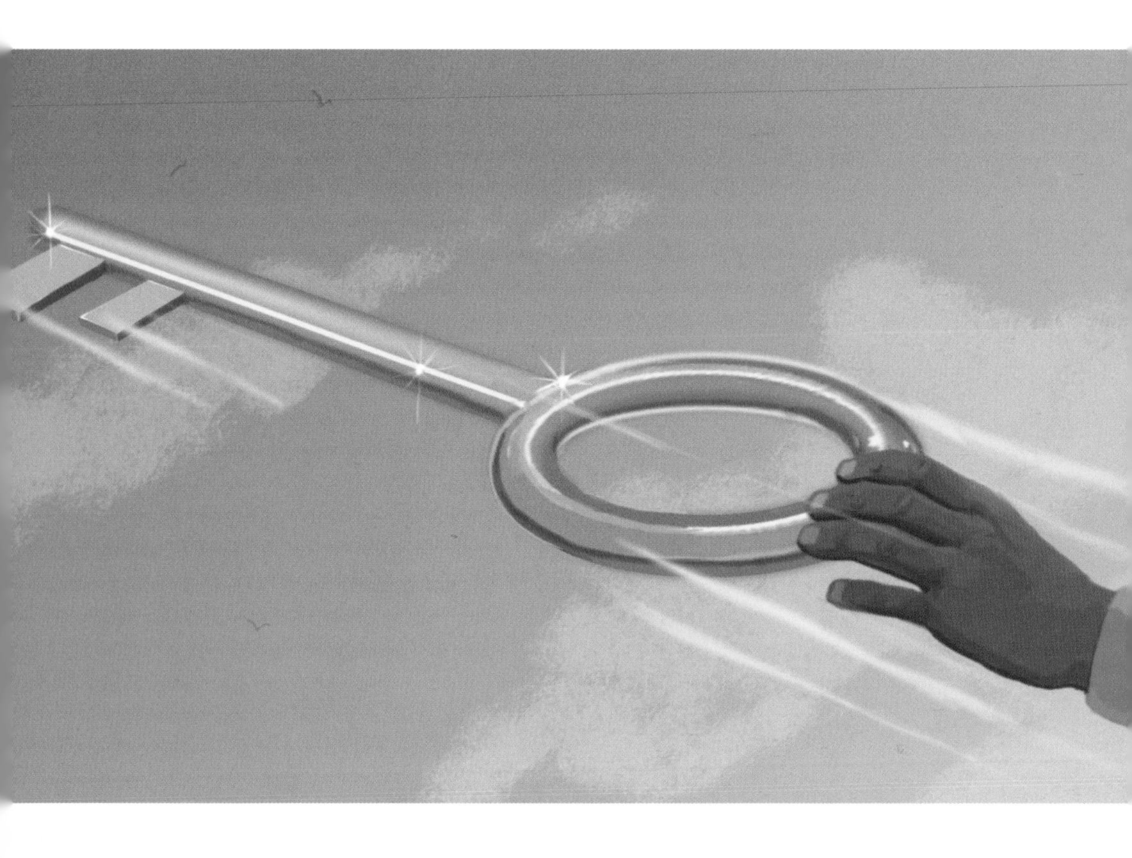

–¿Quién eres?

–Bueno, verás, soy el alcalde de este pueblo. Y te pregunto lo mismo a ti. ¿Quién eres tú para andar comiéndote nuestras casas?

Le dices tu nombre.

Hace una reverencia y te estrecha la mano.

–¿Cómo llego hasta mi casa? –preguntas.

Te responde:

–Solo debes desearlo, y estarás ahí.

Cierras los ojos, lo deseas y ¡pum! estás en casa.

Fin

¡Sorpresa! La puerta amarilla conduce al campo de béisbol que hay detrás de tu escuela. Estás en el medio de la cancha, y la pelota viene hacia ti.

Levantas la vista justo a tiempo y atrapas la pelota.

Tu equipo grita: "¡Bravo! ¡Ganamos!".

Pasa a la página siguiente.

Tus compañeros de equipo te rodean y te abrazan. Salvaste el partido.

El resto no ha sido más que una ensoñación que tuviste mientras jugabas al béisbol. ¡Estás ansioso por volver a casa a ver a Homero!

Fin

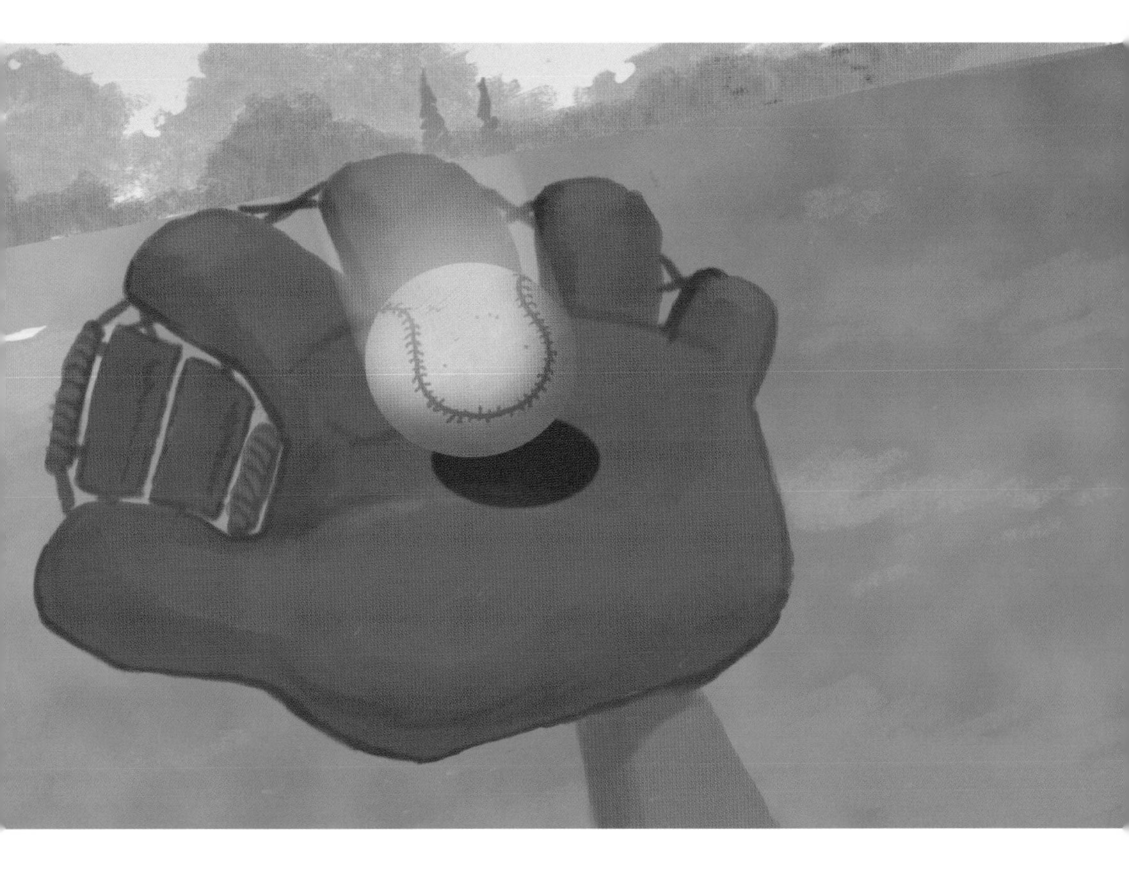

¡Increíble! Llegas hasta una casa construida con crema. Cerca de esta casa hay otra hecha de merengue. Pruebas ambas casas. Das un paseo por las calles del lugar. Por todas partes hay casas hechas con tus dulces favoritos. ¡Qué lugar tan genial!

Luego oyes una voz. Exclama:

–¡Ey, no te comas mi casa! Yo vivo ahí.

Cuando te das vuelta, ves un hombre extraño y pequeñito, no más grande que un gato.

Pasa a la página 39.

¡Despierta! Fuegos artificiales. Miras por la ventana de tu habitación. Ves cuatro niños prendiendo petardos.

¡Por supuesto! ¡Es 4 de julio, el Día de la Independencia de los Estados Unidos!

Vuelves a dormirte, y te preguntas qué soñarás a continuación.

Fin

–No quiero seguir. Tengo miedo –dices.

–De acuerdo.

Los dos niños te conducen hasta una escalera secreta. Está oscuro y polvoriento. La hilera de peldaños parece infinita.

De pronto llegas a una galería.

En la baranda hay una escalera de sogas. La desenrollas y bajas por ella.

Pasa a la página siguiente.

—¡Guau, guau!

Es Homero. Te está esperando afuera. Está a salvo. Y tú también.

Saludas con la mano a tus amigos. Cuando te das vuelta, descubres que tu perro está persiguiendo a otro gato blanco.

¡Oh, no!

Fin

48

El rayo de sol se transforma en un tobogán gigante.
¡¡Ffffiiiuuuu!!
Terminas tu recorrido en un parque de diversiones.

Fin

Le metes un dedo en el ojo al cocodrilo.

–¡Ay! ¡Eso no vale! –grita, y te suelta.

Nadas hasta la orilla, sales del río y te echas a correr.

El cocodrilo trepa también y te persigue, gritando:

–¡No te iba a lastimar! Solo quería jugar.

Un sendero que sale desde la orilla conduce al exterior. Eres libre. Homero está ahí. Te lame la cara. No volverás a entrar en esa vieja casa. ¡Ni en un millón de años!

Fin

Anson te conduce hasta una gran habitación.

¡Sorpresa! Es tu cumpleaños, y esta es tu fiesta. Te rodean todos tus amigos. Tu madre trae la torta de chocolate más grande que hayas visto jamás. Homero se halla sentado a la cabecera de la mesa. Parece listo para soplar las velitas. ¡Deténganlo!

Fin

Decides continuar con el unicornio. Por fin se da vuelta y se detiene.

–Ahí está el camino que conduce hasta Venus. Síguelo si quieres.

Y luego ¡puf! se desvanece en una nube de humo rosado.

Empiezas a andar por el sendero. Es hermoso. Venus parece muy pequeño. Tiene ventanas y cortinas y papel en las paredes y trofeos de natación y... ¡un momento! ¡Es tu habitación!

Te sientas en la cama. Todo fue un sueño.

Fin

¡Bravo por ti! ¡Buena elección!

Has optado por la llave dorada, y por la puerta hacia la seguridad. Homero viene corriendo, moviendo la cola. El túnel conduce directamente hasta el jardín de tu propia casa.

Fin

Dejas al ratón y corres solo por el túnel. El túnel te lleva hasta una habitación con dos puertas. Una es amarilla y muy grande. La otra es roja y diminuta.

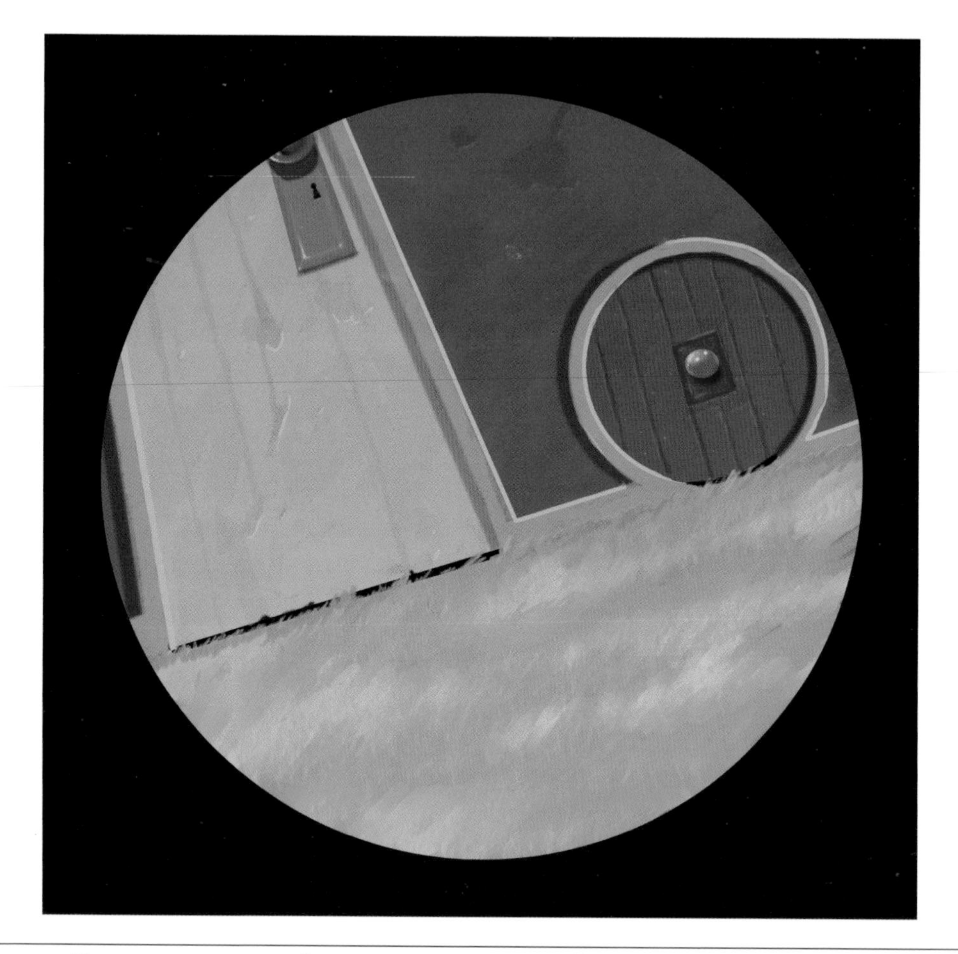

Si atraviesas la puerta amarilla, pasa a la página 40.

Si atraviesas la puerta roja, pasa a la página 37.

No hay vuelta atrás. Has ido tan alto por el rayo de sol que ya eres parte de él. Brillas y ayudas a iluminar el mundo.

Fin

SOBRE EL AUTOR

R. A. Montgomery asistió a la Escuela Hopkins, a la Escuela Williston-Northhampton y al William College, donde se graduó en 1958. A lo largo de su vida, fue un aventurero: trepó montañas en el Himalaya, practicó esquí en Europa, y buceó en todos los lugares que pudo. Sus intereses también fueron: la macroeconomía, la geopolítica, la mitología, la historia, las novelas de misterio y la música. Escribió *Viaje bajo el mar*, su primer libro interactivo, en 1976 y lo publicó en una serie a la que llamó *Tus Aventuras*.

Unos años después, la editorial Bantam Books publicó este libro y firmó con Montgomery un contrato por cinco títulos más, para inaugurar su nueva división de libros infantiles. Se decidió cambiar el nombre de la colección a *Elige Tu Propia Aventura* y así nació un fenómeno editorial único.

La serie *Elige Tu Propia Aventura* supera los 260 millones de ejemplares vendidos y fue traducida a más de 40 idiomas.

Para juegos, actividades y otras propuestas divertidas, o para escribir a Chooseco, visítanos en: www.cyoa.com

SOBRE EL ILUSTRADOR

Keith Newton inició su carrera artística en el mundo del teatro, trabajando como pintor de escenografías. Con un gran talento y muchas ganas por pintar retratos, se mudó a Nueva York y estudió Bellas Artes en la Art Students League. Keith ha ganado muchos premios artísticos, tales como la Medalla de Oro Grumbacher y el Galardón Salmagundi. Al poco tiempo empezó a trabajar como ilustrador, y fue contratado por Disney, para quien colaboró en filmes como *Pocahontas* y *Mulan* en el diseño de fondos. Keith también diseñó modelos para algunas de las esculturas de Disney Animal Kingdom, y ha hecho animaciones para EuroDisney. En la actualidad, Keith Newton trabaja de manera independiente desde su casa y enseña ilustración en el College for Creative Studies de Detroit. Está casado y tiene dos hijas.

Este libro fue realizado gracias al aporte de muchas personas:
Shannon Gilligan, editora
Gordon Troy, Consejo General
Jason Gellar, director de Ventas
Melissa Bounty, editora
Stacey Boyd, diseñadora

¡Gracias a todos!